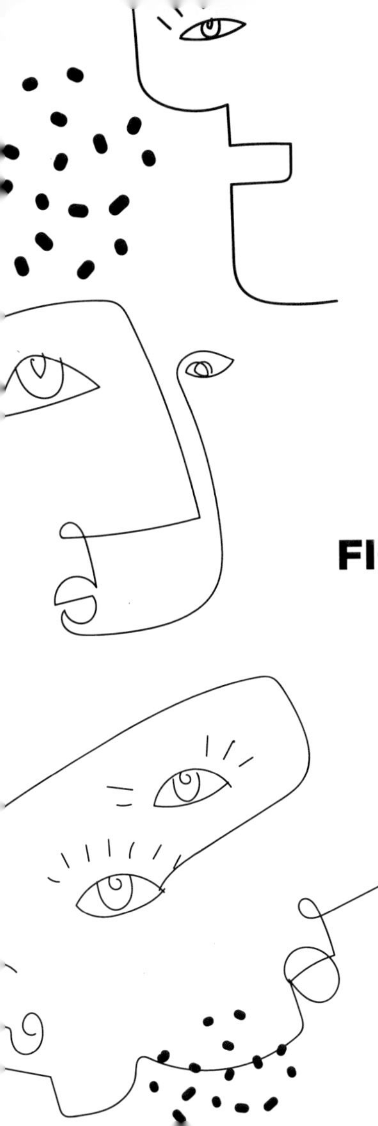

FIO DESENCAPADO

FICHA TÉCNICA

SUPERVISORA EDITORIAL Renata C. Lopes
PROJETO GRÁFICO Amélia Lopes

Appris editora

Editora e Livraria Appris Ltda.
Av. Manoel Ribas, 2265 – Mercês
Curitiba/PR – CEP: 80810-002
Tel. (41) 3156 - 4731
www.editoraappris.com.br

Printed in Brazil
Impresso no Brasil

Sophie Prignon
Thais Mesquita

FIO DESENCAPADO

artêra
editorial

COMO É VIVER SE SENTINDO UM FIO **DESENCAPADO?**

[1]Embora a capacidade cognitiva seja a característica mais associada às altas habilidades, entre os principais traços da personalidade de uma pessoa superdotada está também sua aumentada capacidade perceptiva sensorial. "A sensibilidade é um ponto muito central do desenvolvimento e, consequentemente, da vivência das pessoas superdotadas. Quem tem altas habilidades tem um organismo que capta mais os estímulos. É como se seus poros fossem maiores", explica em entrevista para este livro Patricia Neumann, psicóloga especializada em superdotação, filósofa, cientista e mestra em educação[2]. Ela foi identificada aos 29 anos de idade, já formada em psicologia, e lançou em 2024 o livro *A Sobre-excitabilidade*[3] *na*

---

[1] Este capítulo foi produzido em 2024 como encarte da 2ª edição do livro Deu Zebra! Descobrindo a superdotação, e é complementar ao conteúdo da obra original, sem depender da leitura desta na íntegra, embora seja mais indicado ler antes a Introdução e o Capítulo 1.

[2] Patricia Neumann atua com atendimento clínico, avaliação, cursos e pesquisa para o público superdotado, trabalhando exclusivamente com adultos.
Instagram: @patricianeumann.ahsd / Site: www.nenhumtalentoamenos.com.br

[3] A sobre-excitabilidade, também conhecida como superexcitabilidade ou hiperexcitabilidade, caracteriza-se por sensibilidade e intensidade aumentadas em diversas áreas: intelectual, emocional, imaginativa, sensorial e psicomotora. "A sobre-excitabilidade (SE) tem sua origem no corpo, ela é orgânica e neurológica. Ela gera uma reação biológica mais intensa que a geralmente esperada em situações quotidianas. Esta reação amplifica a atividade mental", explica Patricia Neumann.

Superdotação: contribuições de Kazimierz Dąbrowski[4], em que trata dessa questão. Na sua prática clínica, a sensibilidade elevada — que algumas pessoas ilustram como "viver se sentindo um fio desencapado", superexpostas aos estímulos externos — é uma questão bastante presente.

Outros profissionais especializados também afirmam que olham para além do funcionamento cognitivo medido por instrumentos (como o QI), considerando vários marcadores emocionais das pessoas com altas habilidades. Essas pessoas são muito mais impactadas por condições invisíveis, seus sentidos e "sensores" aguçados enxergam mais detalhes e absorvem mais do ambiente à sua volta, de odores a humores.

Esse funcionamento neurobiológico, que recebe uma enorme quantidade de *inputs* (cada entrada de informação no cérebro), é potencializado ainda pelo alto processamento e abstração das informações absorvidas, tanto as explícitas quanto as mensagens captadas nas entrelinhas. O pensamento produzido por esses neurodiversos representa uma grande multiplicação de estímulos e é conhecido como "pensamento arborescente" ou "pensamento

---

[4] NEUMANN, Patricia. A Sobre-excitabilidade na Superdotação: contribuições de Kazimierz Dąbrowski. Guarapuava: Apprehendere Editora, 2024.

arborizado"[5], que, como uma árvore, expande-se para todos os lados, abre-se em diversas ramificações que crescem e frutificam em suposições, imaginações e formulação de ideias, muitas vezes divergentes e originais, e quase sempre recheadas de emoções.

Associa-se, assim, à hipersensibilidade das pessoas superdotadas uma "hiper-reatividade" interna[6]. Elas reagem natural e involuntariamente de forma mais intensa aos estímulos externos. Como tudo entra em excesso e existe uma reação interna maior, é comum encontrar, entre os superdotados, incômodos ou grande perturbação da concentração com ruídos quase imperceptíveis para neurotípicos: mal-estar por odores que nem sequer são percebidos pelos outros; fotossensibilidade diante de uma quantidade de luz que parece confortável aos demais; alergias a tipos de tecidos (ou aflição com as etiquetas das roupas) que são muito bem aceitos pela pele da maioria das pessoas; seletividade alimentar por conta de sabores e texturas de alimentos; entre outras reações consideradas inusuais. Embora sejam muitas vezes percebidas como "exageros" ou "frescura" pelos neurotípicos, essas reações dos superdotados são espontâneas e têm impacto expressivo na qualidade de vida

---

[5] SIAUD-FACCHIN, Jeanne. Demasiado inteligente para ser feliz? Las dificultades del adulto superdotado en la vida cotidiana. Barcelona: Editorial Planeta, 2014. p. 33-34.

[6] BRASSEUR, Sophie; CUCHE, Catherine. Le haut potentiel en questions. Bruxelles: Éditions Mardaga, 2017. p. 198.

e nas interações sociais deles – além de serem confundidas com frequência com sintomas, por exemplo, de Transtorno de Processamento Sensorial (TPS).

Essa combinação de sensibilidade e reação excessivas também tendem a gerar muito sofrimento, porque as pessoas com altas habilidades têm mais informação sobre o mundo que as cerca. "Vou usar outra metáfora, porque elas são poderosas. Por sua capacidade de processar uma quantidade maior de informação a uma velocidade muito alta, poderia se dizer que as pessoas superdotadas vêm com processador de computador atual top de linha ou até processadores quânticos – já que as pessoas superdotadas não são todas iguais, há muitas diferenças de desenvolvimento dentro do grupo", afirma Patricia Neumann.

A sensibilidade tem sua base na estrutura neurobiológica que permite essa experiência de processamento mais avançado. "Depois que você capta, precisa ver o que vai fazer com tudo isso. E o que vai fazer também está permeado por muita sensibilidade, porque o próprio pensamento se torna estímulo", completa. A sensibilidade, aliás, é marcante no encadeamento das informações captadas, que é quando cada um organiza os estímulos mentalmente e decide para onde eles vão: por exemplo, para a lixeira, para o aplicativo de fotos, para o arquivo de texto; e sob que temas serão arquivados – só para seguir na analogia aos computadores.

“São duas coisas muito intensas: a captação intensa e o pensamento muito intenso. Uma potência muito grande de funcionamento mental somada a uma potência muito grande sensorial dá como resultado uma vivência muito intensa e profunda. É isso que as outras pessoas que não são superdotadas não entendem, porque elas não funcionam assim. São realidades muito distintas, mas se todos souberem com que processador contam, a possibilidade de diálogo se amplia”, explica Patricia Neumann.

Essa intensidade emocional também se expressa por meio de uma empatia exacerbada ou “hiperempatia”. A pessoa capta com muita força os sentimentos dos outros. Ao ver alguém triste, por exemplo, é fortemente afetada por esse sentimento de tristeza, porque desperta nela sentimentos da sua própria vivência, o que a deixa verdadeiramente triste. Além disso, um segundo aspecto a notar dessa condição é o risco de generalização. Ao se deparar com um acontecimento, por exemplo, há uma tendência a pensar que será sempre assim. Essas conclusões não deixam espaço para mudanças e a pessoa corre o risco de generalizar aquela situação, percebendo a emoção envolvida ali como uma constante. “Isso pode ser grave. Se for uma emoção negativa, será muito impactante pensar que é uma constância. E, inevitavelmente, a reação emocional pode ser muito forte", expõe Yann Girardin, psicólogo suíço especializado em hipersensibilidade, integrante do Cabinet Hi-Mind[7].[8]

Quando não há um cuidado adequado desde a infância, aqueles que funcionam com processadores "top de linha" ou quântico não sabem o que fazer com tudo isso dentro de si. E, lá na frente, o impacto poderá ser danoso: em vez da pessoa ser um grande potencial em alguma área, por exemplo, graças a sua estrutura superpotente, ela fica perdida, sobrecarregada e sem conseguir decidir um rumo produtivo e que lhe traga contentamento. Também é assim que se cria um contexto propício ao desenvolvimento de diferentes tipos de transtorno, porque a sensibilidade é um traço da sua personalidade, ela nunca deixa de existir e seguirá trabalhando o tempo todo e tornando sua existência mais complexa.

Quando a família ou a comunidade (escolar, laboral, de cuidados com a saúde) à qual pertencem as pessoas superdotadas não respeita a intensidade característica deles, as consequências no seu desenvolvimento podem ser muito negativas. Os adultos

---

[7] Centro especializado em identificação e acompanhamento de superdotados criado na Suíça por Sophie Prignon, co-autora deste livro com Thais Mesquita.

[8] DONZEL, Laurent. Le sentiment de décalage est ce qui revient le plus souvent. Revista suíça Diagonales, ed. 154, jun.-jul. 2024.

que tiveram essa vivência na infância tendem, inclusive, a dar a impressão de não serem tão hipersensíveis e hiper-reativos. Isso porque, como podem ser muito racionais, diante da incompreensão dos outros, muitos bloqueiam essa capacidade sensorial dentro de si, para tentarem ser aceitos em sociedade ou, quando sentem que é demais para lidar – já que não encontram suporte no seu entorno –, se afastam das suas emoções para se proteger e não se afogar nelas. Geralmente, esse é apenas o reflexo do ambiente em que cresceram, porque criaram o "falso *self*"[9], ou seja, cultivaram uma personalidade ou comportamentos que não correspondem à sua verdadeira existência. A consciência do "eu" (*self*) vem do começo da vida. São as referências da infância que constroem a concepção que cada um tem de si. E isso não é deixado no passado, mas permanece nas profundezas do inconsciente e tem peso em tudo o que se faz ao longo da vida. Os adultos que tiveram

---

[9] Donald Woods Winnicott (1896-1971) postulou os conceitos de verdadeiro self e falso self. Falso Self é o nome que Winnicott dá a uma 'pseudopersonalidade'. A personalidade (ou seu 'centro', o 'self' – também conhecido na língua portuguesa como 'si mesmo') se desenvolve, segundo ele, a partir das experiências que vão sendo armazenadas na memória do indivíduo (SILVA; LIMA; PINHEIRO, 2014).
SILVA, Gustavo Vieira da; LIMA, Andrea de Alvarenga; PINHEIRO, Nadja Nara Barbosa. Sobre os conceitos de verdadeiro self e falso self: reflexões a partir de um caso clínico. Cadernos de psicanálise, Rio de Janeiro, v. 36, n. 30, jun. 2014. Disponível em: http://pepsic.bvsalud.org/scielo.php?script=sci_arttext&pid=S1413-62952014000100007. Acesso em: 19 set. 2024).

essa vivência na infância podem vir a ter grande dificuldade de se empoderar, de confiar nas suas percepções e, mais ainda, de resgatar as características bloqueadas.

"A gente passa a existir no mundo a partir do olhar do outro sobre nós. Só depois cada um vai poder desenvolver seu próprio olhar sobre si ao longo da vida. Ou não, porque somente uma pequena parcela consegue se despir do olhar alheio. A maior parte das pessoas carrega para sempre o olhar do outro sobre si", expõe Patricia. Quando os adultos, principalmente os pais, rotulam as atitudes das crianças de "exagerada", "dramática", "complicada" e, além de usarem palavras pejorativas como essas, os enxergam como "estranhos", as crianças acabam se percebendo desse jeito. A conotação de estranho costuma ter uma carga de agressividade, de crítica. Não sugere nenhum elogio, e deixa na pessoa superdotada um mal-estar. O olhar do outro vai, assim, construindo na pessoa um senso de lugar alienígena, "alienado" – ou, mais exatamente, de falta de lugar. Por toda a vida, quem funciona de forma divergente pode vivenciar experiências de olhares e rótulos do tipo.

"Estranho é o que está fora. Entranha é o que está dentro. Assim como estrangeiro é quem é de fora. Então o estranho é quem não pertence ao nosso grupo. O grupo é o nosso elo de reconhecimento mútuo. Por exemplo, uma família, por mais diversificada que possa ser, geralmente desenvolve um senso de identidade. Não é à toa que a família tem um sobrenome. Nossa espécie funciona muito assim. É por isso que nós sempre estamos agrupados", pondera Patricia Neumann.

A sensibilidade mais elevada é um fator de bastante expressividade – embora não seja o único –, que frequentemente torna a pessoa com altas habilidades a "estranha" do grupo. Já que, muitas vezes, é essa sensibilidade elevada que vai chamar a atenção e direcionar o olhar dos outros ao lado mais pejorativo do termo estranho. Ela pode sofrer isso desde que nasce, por meio do olhar que recebe, nos diferentes espaços em que circula.

Como trabalham com mais informações e percepções do que a maioria, potencializados por um raciocínio ágil e divergente, com frequência chegam a conclusões, muitas vezes acertadas, e captam situações que passam despercebidas pela maioria das pessoas à sua volta. Mas como não costumam ser validadas pelos outros, podem desenvolver perturbações emocionais, sentimento de menos-valia e autoconceito negativo, como o de que é "doido". No caso das superdotadas, isso pode ser potencializado, porque as mulheres em geral já enfrentam barreiras como *gaslighting*[10],

---

[10] Gaslighting: abuso psicológico por meio de distorções, omissões ou mentiras para fazer com que uma pessoa duvide das suas percepções, memória ou até da própria sanidade.

manterrupting[11] e *mansplaning*[12] – estratégias machistas e patriarcais que desvalorizam e desqualificam as mulheres e suas percepções. Igualmente, somam-se outros preconceitos como os raciais que afetam diretamente, por exemplo, o desenvolvimento de pessoas negras superdotadas.

Quando existe o descompasso entre membros de um grupo, as pessoas superdotadas não identificadas tendem a vivenciar dificuldades de adaptação e aceitação, porque todo e qualquer ser humano precisa se sentir em sintonia com os demais para poder se desenvolver de forma saudável. A pessoa neurodivergente vivencia, comumente, a falta de reconhecimento e também pouco ou nada se identifica com pessoas neurotípicas. Essas, entretanto, são a maioria praticamente em todo lugar e, conforme o dito popular, "os incomodados que se mudem", ou que se adaptem, mudando sua forma de ser.

E aí entra mais um complicador. As estratégias que funcionam para o neurotípico podem não funcionar para os neuroatípicos.

---

[11] Manterrupting: interrupções provocadas por um ou mais homens para dificultar o raciocínio e/ou impedir que a mulher exponha uma ideia.

[12] Mansplaining: atitude de um homem de explicar algo a uma mulher sem considerar que ela já saiba a respeito, talvez até mais do que ele. Ou "explicar" o que uma mulher acaba de dizer, como se ela fosse confusa e/ou incapaz de se fazer compreender sem sua ajuda.

Como as pessoas superdotadas aprendem facilmente só de ver outra pessoa fazendo, experimentam aquilo que os outros fazem e não conseguem os mesmos resultados. Com isso, podem vir a se sentir ainda mais estranhas e inadequadas, passando a acreditar que o problema está efetivamente nelas, já que o que funciona para a maioria, não dá resultado para elas!

"O que [nós, psicólogos] ouvimos frequentemente [dos hipersensíveis] é a expressão de um sentimento de diferença e discrepância. Procuro então entender porque a pessoa não se sente feliz, ou não se sente integrada nos grupos, depois procuro soluções. O que vai aliviá-la muito é que, finalmente, validemos suas diferenças e seu sofrimento potencial", garante o psicólogo Yann Girardin.[13]

O olhar depreciativo e a sensação de descompasso e inadequação com o restante do mundo afetam a pessoa superdotada, mas também podem afetar mães e pais. "Eu não trabalho com o público infantil, mas eventualmente ouço relatos dos pais sobre como seus bebês e crianças são diferentes dos outros. Isso gera uma ampla série de situações, como não ter com quem conversar para compartilhar essa intensidade nas vivências", aponta Patri-

13 DONZEL, Laurent. Le sentiment de décalage est ce qui revient le plus souvent. Revista suíça Diagonales, ed. 154, jun.-jul. 2024.

cia Neumann. Na hora do sono, por exemplo, as outras crianças dormem e a deles não. Então, quando a superdotação não está identificada, surgem os discursos patologizantes: "seu filho tem um problema". Logo, é a mãe quem tem problema, pelas questões de gênero e da maternidade, raramente se ouve dizer que o problema possa vir do pai. Assim, é comum as mães também não serem validadas e virem a se sentir muito mais inadequadas do que os pais. "Eu recebo algumas coisas nesse sentido de mães profundamente adoecidas", amarra.

A partir disso, vem a necessidade de uma psicoeducação da sociedade em geral. Quanto mais gente conhecer sobre superdotação, menos mitos, estranhamento e patologização persistirão. Se a primeira visão que importa para uma criança é a dos pais, quanto mais pais e mães estiverem instruídos e preparados para lidar com crianças neurodivergentes, melhor será para toda a sociedade. Mas vale mencionar que a psicoeducação parental precisa vir aliada àquela dos profissionais que orientam esses pais e mães, na escola, na saúde. A validação dessa rede de apoio é essencial.

Para o ser humano, crescer sem saber qual é o seu lugar no mundo é angustiante e gerador de ansiedade e de psicopatologia. Por um lado, esse é um dos motivos pelos quais, desde pequeninas, as pessoas superdotadas que não se sentem acolhidas podem vir a desenvolver doenças mentais e físicas. "A gente também pode conectar esse adoecimento à sensibilidade, porque o mesmo estímulo que para uma pessoa neurotípica não interfere tanto, em um superdotado pode gerar psicopatologias", explica a especialista. Por outro lado, o desconhecimento da superdotação representa um risco iminente de confusão das características marcantes das pessoas superdotadas com sintomas de doenças, o que leva esses neurotípicos a cair em diagnósticos distorcidos, a sofrer com a patologização de sua condição, a medicalização e outros tratamentos equivocados.[14]

Pela intensidade e densidade das emoções vividas, as pessoas superdotadas costumam ouvir que suas queixas físicas são "coisa da sua cabeça". Em parte, é verdade! Mas não com a conotação depreciativa, implícita, de que se está imaginando coisas que não existem. O sistema nervoso central envia uma série de estímulos químicos que circulam pelo corpo e interferem na saúde física e emocional – proporcionando equilíbrio ou desequilíbrio. São verdadeiros e viram estímulo real nas estruturas físicas do corpo: nervos, órgãos, músculos. Principalmente em períodos de maior estresse, as emoções podem gerar tensão muscular, dores, doenças.[15] É muita química corroendo por dentro dos fios já desencapados por fora.

---

[14] Como Natália e Laura descrevem nos seus relatos de vida ao longo deste livro.

[15] BRASSEUR; CUCHE, 2017, p. 198.

"A superexcitabilidade[16] altera a personalidade da pessoa, porque ela é basicamente neuronal. A emoção, hoje a gente sabe, é neuronal. Inicialmente, acontece no cérebro. Mas elas vão para os órgãos. Até pouco tempo atrás nós não sabíamos que a cardiopatia, por exemplo, fazia uma triangulação cérebro-coração-rins; os rins têm hormônios neurotransmissores", destaca em entrevista para este livro Cristina Delou, psicóloga especialista em superdotação, autora da primeira tese sobre a condição no Brasil e presidente do Conselho Brasileiro para Superdotação - ConBraSD (2023-2024).

Se os pais – professores, profissionais da saúde – aprendem como cuidar e conduzir a educação das crianças neurodivergentes, diversos problemas podem ser evitados. A psicoeducação é um trabalho de prevenção de grande potencial. Todos poderão viver melhor se mais adultos estiverem alerta sobre a possibilidade de que é preciso olhar para as pessoas, desde criancinha, aceitando que cada uma tem seu jeito, cada uma tem sua potencialidade, cada uma merece ser tratada de uma maneira específica por suas atipicidades, funcionando diferente do chamado "normal", visto que normalidade é uma construção sociocultural que orienta a conduta e o modo como pessoas veem a si mesmas e os outros.

---

[16] Sobre superexcitabilidade, vide nota 2.

Assim, a falta de percepção e aceitação tende a não ficar somente no estranhamento, que por si só já é bastante pernicioso. Como visto, sentir-se todo o tempo um estranho entre pessoas pode levar a um sentimento de menos-valia, ou de que se é louco. "A loucura pode ser conceituada de muitas maneiras. A definição mais simples de loucura, para mim, é não ser consciente dos próprios processos. Quando eu não sei como eu funciono, eu não consigo mandar em mim e fico à mercê dos processos. E eles ficam todos desorganizados, caóticos. A loucura é o caos. Mas, para eu poder ordenar o caos, preciso ter um agente ordenador, esse agente é a consciência. E, para ordenar, a consciência precisa nomear as coisas", expõe Patricia Neumann.

Não se trata de rotular, o que normalmente a sociedade já faz bastante com pessoas desta condição (de "gênios" a "estranhos"), mas de nomear a experiência, oferecendo explicações e validação. Se a pessoa não tem nome para as coisas, não consegue colocá-las em ordem no seu processamento das informações externas e internas. Quando a pessoa se organiza internamente, ela funciona muito melhor, porque ao precisar de determinada informação ela sabe onde encontrar. Patricia compara a uma biblioteca: se está tudo bagunçado, como a pessoa pode achar o conteúdo que precisa para lidar com as situações? Muitas vezes não acha.

O PODER DA IDENTIFICAÇÃO E DO AUTOCONHECIMENTO

Para descobrir a própria superdotação ou a de outra pessoa é preciso considerar essa possibilidade. Ainda hoje a superdotação sofre da invisibilidade gerada pelo desconhecimento. É uma condição neurodivergente tão invisível para a sociedade atual como as caravelas espanholas chegando ao chamado "Novo Mundo", pelos idos do século XVI. Era uma frota de barcos possível de avistar a quilômetros de distância, mas, como os povos originários daquelas terras não concebiam a existência daquele tipo de embarcação, não puderam identificá-las no horizonte, no sentido de saberem exatamente o que eram e quem eram. Só se deram conta da presença das caravelas carregadas de exploradores, quando esses já estavam lançando âncora a poucos metros da praia. Era visível, mas, de certo modo, invisível, porque ainda era incompreensível para eles. "Esse é um dos grandes poderes da identificação", ressalta Patricia. As pessoas neurodivergentes precisam primeiro ser "avistadas" no seu entorno, e por si mesmas. A questão é que uma pessoa passa a ver a si com ajuda das outras e, se as outras não a veem como tal, é muito mais difícil ela se ver. Por isso, é tão importante que o conhecimento sobre a neurodiversidade seja extensivamente difundido.[17] A partir daí, a superdotação pode receber a contribuição de profissionais especializados na identificação e no acompanhamento desses atípicos.

Cristina Delou destaca que, no caso das mulheres, é importante considerar um primeiro contexto de negação. "O estudo da negação vai ser necessário, porque é anterior ao da invisibilização. As mulheres tiveram negado o direito da identificação precoce na infância. Quantas meninas eu identifiquei em 40 anos? Pouquíssimas. No máximo, 0,5% do total", avalia a psicóloga especializada no reconhecimento infantil.

Quando as pessoas superdotadas não estão identificadas, ou seja, quando não dão nome à sua condição, e não sabem o porquê são como são, independentemente da faixa etária, sua forma de funcionar pode ser percebida como uma fraqueza ou defeito até por elas mesmas. A pessoa acha que seu jeito de ser é um problema e sente que precisa mudar isso nela, então se esforça para ser outra pessoa (criando o falso *self*) e, muitas vezes, começa a trilhar um caminho rumo a depressão ou outros transtornos, especialmente quando há traumas envolvidos. A falta de denominação impede de

---

[17] Vale recordar que segundo as projeções do Relatório Marland (1972), documento considerado até hoje uma referência mundial no tema, os superdotados representam de 3 a 5% da população. Portanto, no mínimo, cerca de 6,5 milhões de brasileiros podem ser superdotados.

organizar o caos interno, pois impede de reconhecer características marcantes muitas vezes confundidas com sintomas de doenças (como discutido no capítulo 1).

E a identificação é importante em qualquer idade! Como dito anteriormente neste livro, a superdotação não se perde com o tempo, mas pode ficar como que adormecida, como uma semente fora da terra. Só irá florescer se for devidamente estimulada e trabalhada.[18] Superdotação não é um rótulo, é uma denominação, uma explicação, que favorece a organização mental e possibilita, com isso, a transformação do potencial em talentos, em realizações – em todas as fases da vida.

Quando a pessoa – seja criança, jovem, adulta ou idosa – sente que encontrou quem ela realmente é na superdotação e fica atenta ao seu funcionamento, respeitando seu verdadeiro jeito de ser, sua condição pode se tornar uma força. Ao estar ciente de que recebe uma enorme quantidade de informação e passa a recebê-la com maior consciência, a pessoa pode até se ver mais criativa. Isso porque a sensibilidade pode, por um lado, contribuir imensamente para o desenvolvimento do potencial do superdotado, por outro, acentua a bagunça interna quando não é compreendida. E, vale

---

[18] BRASSEUR, Sophie; CUCHE, Catherine. Le haut potentiel en questions. Bruxelles: Éditions Mardaga, 2017.

também dizer, quem não respeita seu funcionamento, acaba se expondo mais aos riscos de chegar a extremos como, por exemplo, o *burnout*[19].

Saber-se superdotado é um grande passo, mas não a solução em si. É preciso se aprofundar nas descobertas do que isso implica no seu funcionamento, nos seus comportamentos, e pensar em táticas para lidar com desconfortos. Uma delas é, sem dúvida, calibrar os estímulos. Para isso é essencial identificar quais são os aspectos que mais afetam cada um. O que pode significar diminuir excessos, expondo-se menos a determinadas situações, pessoas ou temáticas. É fundamental observar quando a capacidade de suportar os estímulos está excedendo os limites próprios. Nem sempre se trata de tomar medidas drásticas. O mais indicado é fazer ajustes. Por exemplo, é possível restringir-se ao noticiário escrito para evitar imagens dramáticas, que costumam ser mais impactantes, e ainda assim se manter bem informado.

---

19 Síndrome de Burnout ou Síndrome do Esgotamento Profissional é um distúrbio emocional marcado por sintomas de exaustão extrema, estresse e esgotamento físico resultante de situações de trabalho desgastante, que demandam muita competitividade ou responsabilidade. A principal causa da doença é justamente o excesso de trabalho. Fonte: Ministério da Saúde. Disponível em: https://antigo.saude.gov.br/saude-de-a-z/saude-mental/sindrome-de-burnout. Acesso em: 19 set. 2024.

"É importante ressaltar que o superdotado não sofre simplesmente porque é mais sensitivo. Sofre porque vivemos em um mundo cheio de inconformidades. Por conta do seu senso ético e de justiça, e por ser mais empático e sensível, vivencia um sofrimento muito maior", alerta Patricia Neumann. Muitas pessoas superdotadas frequentemente se comovem ao ver injustiças, desigualdades, animais abandonados e maltratados, guerras, violência doméstica.[20]

Mesmo procurando ganhar algum tipo de distanciamento daquilo que é mais tocante para si, ter consciência das desgraças do mundo comumente desperta nas pessoas superdotadas uma grande sensação de impotência. E essa é outra pressão com a qual é primordial esses neurodivergentes aprenderem a lidar.

Um ponto central para administrar essa sensação de impotência é tomar consciência da demanda — demanda essa que os

---

[20] Estudos sobre o desenvolvimento moral de estudantes com altas habilidades mostrou que muitos deles apresentam aguçado senso moral demonstrado por meio da compaixão, sensibilidade ao sofrimento alheio e sentimentos profundos de proteção aos necessitados. LUSTOSA, Ana Valéria Marques Fortes. Desenvolvimento moral do aluno com altas habilidades. In: FLEITH, Denise de Souza; ALENCAR, Eunice M. L. Soriano de (org.). Desenvolvimento de talentos e altas habilidades: orientação a pais e professores. Porto Alegre: Artmed, 2007.
VALENTIM, Bernadete Fatima Bastos; VESTENA, Carla Luciane Blum Vestena. Análise da noção de justiça em estudantes com altas habilidades/superdotação: uma contribuição educacional. Revista de Educação Especial de Santa Maria, v. 32, 2019. Disponível em: https://periodicos.ufsm.br/educacaoespecial/index. Acesso em: 19 set. 2024.

neurotípicos muitas vezes não percebem. Para parte das pessoas superdotadas, é difícil aceitar que não dá para curar todas as dores do mundo. A melhor estratégia é focar em um tema específico ou em determinada área geográfica, que seja mais prioritária para a pessoa. "E o que não der para fazer, é preciso aceitar que não dá. Essa é uma das dificuldades bastante proeminentes entre os superdotados e pode ser uma dificuldade tão grande que enlouquece a pessoa. Envolve muito sofrimento porque as pessoas com altas habilidades se sentem insatisfeitas com aquilo que elas podem fazer, mesmo que tenham feito muito", resume a psicóloga com base na sua experiência na clínica terapêutica.

Enquanto as pessoas neurotípicas costumam se dedicar a algo e se satisfazer com sua atuação, as superdotadas mantêm seu nível de exigência sempre tão alto que têm dificuldade de se sentirem satisfeitas. Elas sempre acham que tudo o que fazem é pouco, perto do que "poderia ser" feito. E isso pode gerar profunda frustração na intensidade extrema dos superdotados.

Dividir em partes grandes projetos, estabelecendo metas intermediárias, tende a ajudar nesse sentido. Metas menores ao longo do caminho são uma forma de não perder o objetivo maior de vista e de lembrar que cada avanço conta. Celebrar cada meta intermediária alcançada é outra tática funcional para cultivar o contentamento próprio e, comumente, não é praticada entre os superdotados.

Também por conta dessa sensibilidade elevada e de seu alto comprometimento com as tarefas, é comum as pessoas superdotadas quererem abraçar mais tarefas, mais causas, mais compromissos. Nesse círculo vicioso, para complicar, falta a esses neurotípicos a percepção de que estão se envolvendo além das suas forças. Embora sintam certo cansaço por toda a carga assumida, as descobertas feitas a cada assunto e atividade a que se dedicam alimentam sua curiosidade e nutrem sua fome insaciável por novidade. A potência elevada de processamento para lidar com muitas coisas embaça sua visão dos limites. Por exemplo, dormir pode parecer uma mera perda de tempo, porque alimentar sua curiosidade lhe dá energia e é muito estimulante. Intelectualmente podem dar conta, mas não percebem que aquilo tudo é demais para o corpo humano, que precisa descansar, relaxar e se regenerar para continuar funcionando na sua melhor performance.

"O *burnout* acontece quando a pessoa não parou na hora que precisava. E por que ela não parou? Porque ela se mantém superestimulada. Já que a cabeça não para mesmo, o corpo procura travar e entra em colapso. Essa é uma estratégia extrema do corpo para fazer a pessoa parar à força, já que ela não teve consciência de parar antes. E é muito comum acontecer com pessoas superdotadas", comenta Patricia Neumann. Nisso, o investimento necessário se concentra na ampliação da autoconsciência, para melhor gerenciamento dos próprios limites e alcances, sem prejuízos à saúde.

A melhor forma de evitar "fechar um curto circuito" ou "derrubar seus disjuntores" para não explodir é manter muita atenção aos sinais do corpo e da psique. Seja irritação, cansaço, dor corporal, falta de energia, gangorras emocionais. É realmente preciso manter uma boa e contínua conexão consigo mesmo, o que, apesar de não ser uma tarefa simples para ninguém, é ainda mais complexa para as pessoas superdotadas, por serem, muitas vezes, intensamente racionais e também passionais.

Há uma infinidade de recursos para lidar consigo mesmo, quando se está ciente da própria superdotação. Cada pessoa deve buscar entre as diversas ferramentas existentes as que lhe servem, e montar uma estratégia para cultivar o próprio bem-estar e seu crescimento pessoal. Trocar ideias com outros superdotados, por exemplo, costuma ser muito proveitoso nesse sentido. Entre os adultos, uma opção é participar de grupos voltados para as pessoas neuroatípicas, presencial ou virtualmente.

Não existe receita pronta, nem mágica. Tampouco existem regras fixas. Cada um pode experimentar diferentes táticas, observar atentamente o que se sente em cada prática e descobrir o que funciona para si. Por exemplo, movimentar o corpo pode ser uma primeira maneira eficaz para relaxar, regenerar e "descansar a cabeça". Seja por meio de um esporte, dança, yoga, corrida, de uma caminhada na natureza ou de uma pedalada. As pessoas superdotadas precisam e podem se dar um tempo de descanso! Precisam e podem se dar momentos de relaxamento!

E isso nem sempre é esvaziar totalmente a cabeça, mas organizar melhor o que está dentro dela. Esses momentos podem ser nas páginas de um livro, na pintura, em trabalhos manuais, na jardinagem, meditando, ouvindo música, tocando um instrumento ou se movimentando. Pode ser até assistindo TV, um filme bem água com açúcar, uma série ou um documentário. Tudo depende do que levanta o ânimo num dia ruim e do que ajuda a desfocar, momentaneamente, do que gera estresse e a reorganizar-se internamente.

É essencial encontrar espaço e tempo na agenda para relaxar! Se só der uma vez na semana, tudo bem. Mas, de preferência, várias vezes na semana. Se não fizerem com certa frequência, o corpo e a mente dos superdotados podem sentir a hipersensibilidade como uma violência contra si. A frequência exata depende do estilo de vida de cada um, de quanto cada pessoa está exposta a estímulos no seu cotidiano, da quantidade de atividades e projetos que está levando ao mesmo tempo, do quanto seu corpo avisa que precisa descansar. É importante escutar as próprias necessidades.

O corpo e a mente PRECISAM e PODEM ter períodos de menos estímulos, o que muitas vezes significa um tempo, curto que seja, só consigo mesmo. É importante compartilhar essa necessidade com as pessoas com quem se convive, principalmente cônjuge, familiares e amigos, para que não sintam – equivocadamente – que é algo que tem a ver com eles. É importante que a pessoa superdotada converse para explicar que precisa desse descanso, desse espaço, para seu próprio equilíbrio, que não é um distanciamento particular, mas uma forma de manter sua saúde física e mental.

Aliás, para as pessoas com altas habilidades, as relações com os parceiros na vida é um fator particularmente determinante na manutenção do seu bem-estar: amigos, amores, colegas de trabalho. É importante buscar por pessoas que compreendam suas peculiaridades, saibam valorizar o que têm de bom e os apoiem nas suas fragilidades.

Fazer uma opção bem consciente dos ambientes físicos é mais uma estratégia de alto retorno. Como? Perguntando-se e avaliando como se sente melhor: morando em meio à natureza, em um apartamento na cidade grande, em uma cidade mais tranquila? Podem contar fatores como sentir segurança, ter mais acesso a eventos culturais, viver em um lugar bucólico, ter um jardim para cuidar, ter silêncio para dormir, ou beleza estética para admirar. Vale o mesmo para o ambiente de trabalho. O que é mais prazeroso para si: trabalhar em contato com outras pessoas, ter tranquilidade em uma sala à parte, exercer suas atividades de casa? O ambiente físico precisa ser bem luminoso, com vista aberta ou melhor se for mais fechado ou com decoração minimalista para evitar estímulos? E se decisões como essas e outras estão muito difíceis de serem organizadas e colocadas em prática, pode ser o momento de buscar uma ajuda mais profissional, como a terapia com quem atue com pessoas neurodivergentes.

Sensibilidade e capacidade não faltam às pessoas superdotadas. Mas, para evitarem choques e tensão em excesso e deixarem fluir melhor a alta voltagem desses seus sistemas desencapados, elas precisam se proteger e canalizar a própria energia em projetos, trabalhos, ambientes e companhias que alimentem sua alma. As ferramentas mais poderosas que existem para isso são informação de qualidade e autoconhecimento!